D0900755

Corps Sonores

Julie Maroh

ZAP ZAP ZAP sur la télé. Les publicités défilent, des peaux impeccables, des sourires lustrés.

Bzz crr swizz à la radio. La voix de l'homme blanc cherche une bonne assurance, la voix de sa femme a déjà trouvé une lessive extra en l'attendant. Clic cli-clic sur l'ordinateur. Leurs corps sont canon, photoshopés, ils se sont dit oui pour la vie, il a juré de ne plus regarder de porno, elle a juré d'acheter moins de chaussures…

La danse quotidienne des normes et des stéréotypes nous rappelle à quel point le corps est politique. Tout comme nos états amoureux. Le couple hétérosexuel monogame, blanc, beau et à l'éternel sourire de dentifrice, reste dans l'inconscient collectif le schéma souverain de l'état amoureux. Où sont les autres réalités ? Où est la mienne ?

Courtes-pattes, grassouillets, colorés, androgynes, trans, scarifiés, malades, handicapés, vieux, poilus, hors-critère-esthétique… Pédés, gouines, travelos, freaks, inconstants, cœurs d'artichaut, multi-amoureux et aventuriers, nous écrivons nos propres poèmes, vibrons à travers nos propres romances.

Nous ne sommes pas une minorité, nous sommes les alternatives.

Car il y a autant de relations amoureuses qu'il y a d'imaginaires.

Ce recueil est un échantillonnage de notre palette. Si mon crayon n'arrive pas à retranscrire le goût des larmes, du silence férocement bruyant d'un cœur qui éclate, ni de tout l'épiderme qui se soulève dans une bouffée d'extase, que ce livre soit au moins un hommage rendu aux êtres amoureux qui vont à contre-courant de ce qui est attendu d'eux, parfois au péril de leur vie.

Le livre prend place à Montréal, ville multitude.

Tout commence un 1er juillet puisqu'à Montréal tout change chaque 1er juillet : c'est la journée typique des déménagements. Les corps chargent et déchargent des véhicules en résonnant d'émotions. Espoir, nostalgie, peur, doute, excitation… Dans ce chaos organisé et sous la chaleur accablante, tout le monde offre les cadavres de son ancienne vie sur les pelouses des allées et emporte le reste, vers la vie à venir.

Julie Maroh

MONTRÉAL, 1er JUILLET

Chaque fois qu'on parle d'amour

c'est avec «jamais» et «toujours»

«Viens, viens, je te fais le serment...

... qu'avant toi y'avait pas d'avant...

On se le dit et on y croit

Que c'est pour
la première fois

A chaque fois

A chaque fois...

Chaque fois qu'on
aime d'amour

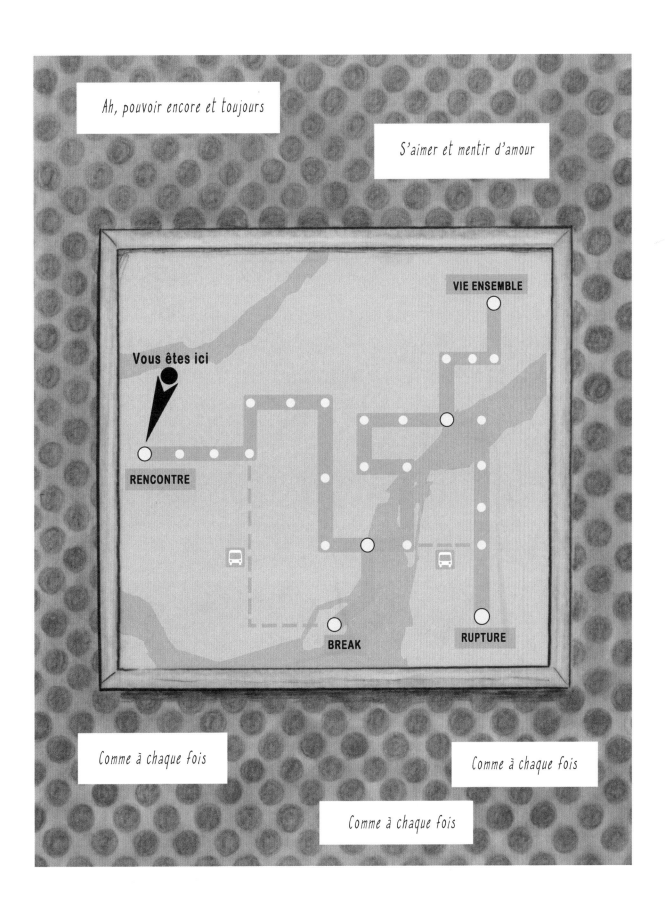

1.

Depuis la fenêtre, rue Boyer

Vous ne vous connaissez pas, vous ne vous êtes pas encore rencontrés.

Pourtant vous allez tomber amoureux.

Bientôt vous serez tous les deux prêts pour cela, en même temps.

Ce sera dans un ou deux ans.

Vous aurez une connaissance en commun.

Et vous aurez dit oui à son invitation...

Ce sera pour un 5 à 7*, une célébration, ou peut-être un pot de départ.

Qu'est-ce qui fait qu'à ce moment-là votre rencontre est inévitable, que la connexion fonctionne ? Quels évènements combinés mènent à ce seul instant possible ?

*terme qui désigne le créneau horaire de 17 à 19h lorsqu'on se rassemble pour un apéritif entre amis

Maman, ça fait trois fois que je t'appelle, le souper est prêt. Je travaille, moi !

Tu crois qu'on peut être témoin d'un premier baiser qui n'a pas encore eu lieu ?

Ben voyons don' ! C'est quoi ces niaiseries ? Allez viens manger.

2.

La rencontre

Ah ah ! Yeah !

T'as-tu d'la misère à mettre un pied devant l'autre ?!

Ça va être à Math' de batter* j'crois !

*frapper une balle avec la batte de base-ball

Ça a d'l'allure, ça !

GO!
GO!
GO!

Gooo ! Rentre à la maison !

Ta-bar-naaac' !

Il reste-tu de la bière ?

Mais ? Et Nouhad ?

J'crois qu'il est sur une autre game là !

Hé Nouhad c'est tout croche ton affaire ! Tu dragues-tu des natives* avec des manières de maudit français ?!

*anglicisme désignant les peuples dits premières nations au Canada

Man, viens t'asseoir ! Je vais t'enseigner comment j'ai eu son numéro aujourd'hui, et comment j'aurai demain celui de ta soeur.

o o o o o Oo o O oh h h !!!

Va don' chier.

3.

«Êtes-vous sûr de vouloir supprimer ce contact ?»

Arrête, arrête ! Tu te poses des questions d'marde !

La lumière est rouge, tabarnac' d'crisse de chauffard !!

Pourquoi t'es pas capable d'accueillir pleinement ce qui t'arrive ?

C'est un gars l'fun, intelligent, de beaux yeux... On s'en câlisse* s'il est anglophone ou s'il a un C.V. niaiseux.

*«on s'en fiche»

Il te plaît, non ?

27

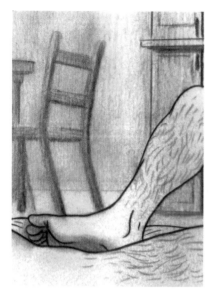

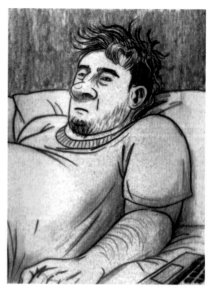

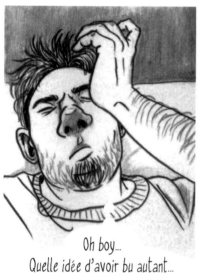

Oh boy...
Quelle idée d'avoir bu autant...

T'essayais de l'impressionner ou de décrocher le record du gars le plus pathétique lors d'une first date* ?!

*anglicisme pour rendez-vous galant

Mais nooon, il t'a trouvé super hot, il pense à toi et cherche les bons mots à t'envoyer pour te proposer une seconde date !

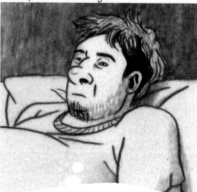

En même temps, est-ce qu'il vaut la peine que je capote autant alors qu'on a 15 ans d'écart..?

*ici : paniquer, se prendre la tête

'Scuse

Êtes-vous sûr... vouloir supprimer ce contact ?

Annuler   Supprimer

T'es crisse d'épais... Tu cherches à grossir ses défauts pour excuser ta propre lâcheté.

Pourquoi tu l'as stalké* sur ce stupide site de rencontre et invité à souper alors?

*anglicisme : suivre, harceler quelqu'un

Ouais mais tu l'as pas embrassé quand t'aurais dû...

En même temps, tout le bar en était rendu à sentir son haleine de whisky tellement il était sur la brosse*.

*saoul

...ne bonne odeur ...ns la maison...?

Mais tu jases pour rien parce que tu faisais que regarder ses yeux et sa bouche de là où t'étais.

...r de la cannelle ...s une casserole !

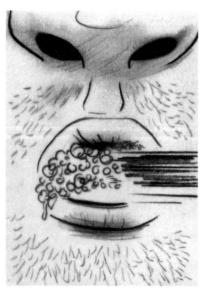

Yeah, but... quand il a fait ça, ça voulait pas forcément dire ce que tu crois.

Pourquoi il m'envoie pas de message ?

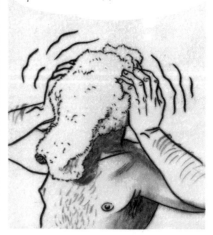

Il a dit qu'il le ferait, je ne peux pas être le premier à le faire, ça va tout fucker...

Pourquoi je craque toujours sur des mecs plus âgés ?

Soupir

Et quand il a dit ça..? ... Anyway... Ce que je crois qu'il pense est influencé par comment je me sens en ce moment... Triste, en colère, ou relax...

Alors, relaaax...

Ce qui m'a donné envie de le frencher* ? Quand j'ai dit « Quel manque d'éducation ! » et qu'il a répondu...

*de «french kiss» : embrasser avec la langue

30

« Non, juste pas la même éducation que celle que nous avons reçue. »

Crisse*, tu veux-tu donner des leçons de vie à tout le Canada ?

*juron québécois

Il faisait de l'esprit et il fallait que tu te montres plus spirituel que lui ?!

Mais peut-être que s'il t'a parlé de son C.V. et sa job comme de promesses électorales, c'est pour les mêmes raisons que d'autres achètent de gros 4x4...

Pour compenser leur petite bite ?

DO YOU SPEAK ENGLISH ?!

English were here first, this is fucking Canada, we speak English!

Et lui, qu'est-ce qu'il pense des francophones comme moi ?

31

Whatever.

Non non non ostie c'que t'es posh !

Évidemment qu'il ne va jamais vouloir te revoir ! T'es insupportable...

Qui voudrait donc être ton chum*, hin ?!

*terme masculin pour «petit ami»

Il va t'envoyer valser... Évite-toi cette humiliation...

Soupir

contact supprimé

delete the contact

cancel

4.

Nos provocations de feu

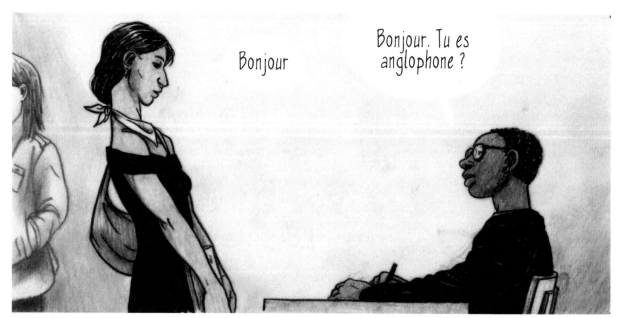

Bonjour

Bonjour. Tu es anglophone ?

Oui. From London.

On peut parler en anglais, si tu veux ?

Certainement pas. Je suis Gema.

Enchantée.

D'origine ?

Mexicaine... Métissée.

Et moi, martiniquaise.

I know.

Et... hum... Qu'est-ce que tu fais à Montréal ?

Une enquête...?

Je suis journaliste et novelliste. Je suis là pour une enquête.

Si tu es curieuse, pourquoi on n'en parlerait pas autour d'un dîner ?

J'ai une table qui m'attend au Hilton.

« Toi aussi tu es homo ?
Quel manque d'originalité... ».

HA HA HA HA !

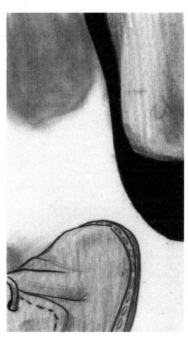

Je savoure
cette torture qu'est
mon envie incontrôlable
de caresser ton pied
avec le mien.

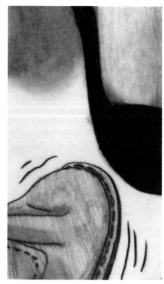

Que fais-tu ?

Je te
regarde.

Cette demoiselle au
comptoir me demande
de vous dire
qu'elle brûle de vous voir pleurer
en vous débattant de
plaisir.

Tu as fait exprès de m'emmener ici...

You have a bedroom reserved here, right?

Do I have such a terrible accent when I speak french?

5.

Que faire de l'alchimie de la veille ?

Guy Maddin finit une interview et puis on reprend.

Ok

Dis donc... Je rêve ou t'as les mêmes fringues qu'hier et la face de travers ? Toi t'as pécho hier soir sans repasser par la case départ ce matin, haha !

Je vais chercher des bouteilles d'eau pour les acteurs.

Ok... This is nice. Cut!

Dis donc, t'as dormi un peu quand même ? Ça me rappelle cette nuit trop arrosée où tu titubais en disant «Rien n'a plus d'importance que n'importe quoi !» à des passants ! Hahaha !

Mais, euh... T'en es où dans ta transition ?

C'est important pour toi d'avoir tous les détails maintenant ?

Viens là... Doucement...

Combien de fois dans une vie est-ce qu'on trouve une telle affinité avec quelqu'un ?

Comment des gens nous émeuvent-ils autant sans rien faire ?

Pourquoi je suis partie comme une voleuse alors ?

Je ne lui ai même pas laissé de numéro.

J'ai paniqué parce qu'il est trans' et que socialement on en baverait encore plus que d'être lesbiennes.

Enfin je crois.

En fait j'en sais rien... Je suis trop conne.

6.

Fantasmes de l'hypothétique

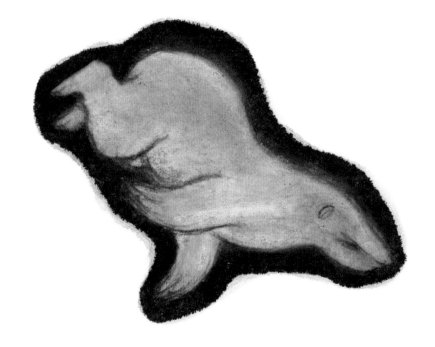

Les anciens vous diront que mon histoire est l'énième écho d'un récit ricochant de génération en génération, tous peuples et réserves confondues, chez nous comme chez les blancs.

Certains bien trop zélés ajouteront même « que c'est typiquement féminin » en hochant de la tête. Bien sûr ils disent cela parce qu'ils sont des hommes, comme si eux n'allaient jamais tomber si bas.

Pourtant ce fait divers parle d'une communion avec les esprits - d'un troc - même si ce n'est pas contrôlé ou réfléchi, d'un sacrifice qu'une personne est prête à faire par passion pour une autre.

Mais voilà... Ce troc, cette passion, les anciens en ont peur. Alors ils préfèrent hocher de la tête pour ponctuer mon récit.

Nouhad, je l'ai rencontré au baseball.

Ce qui était marquant ce jour-là...? La beauté de sa peau, notre entente immédiate, son odeur.

On s'est échangé des messages dès le soir-même. Beaucoup.

Mes amies ne comprenaient pas pourquoi un gars aussi attirant pouvait m'avoir remarquée..

Mais je voyais bien l'alchimie entre nous, et qu'on tombait en amour.

On s'est vite revus. On a passé la journée ensemble sans pouvoir se quitter et puis, je ne sais plus pour quelle excuse, on est arrivé chez moi et on s'est jeté l'un sur l'autre.

Avec furie.

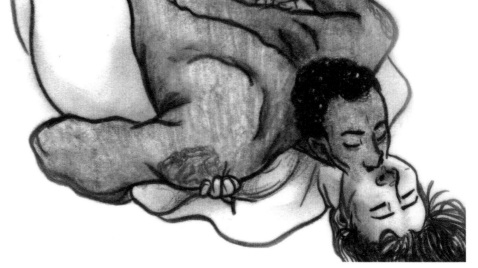

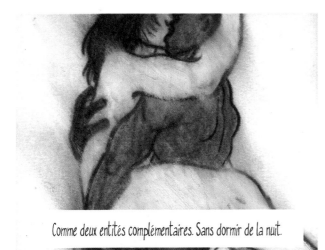

Comme deux entités complémentaires. Sans dormir de la nuit.

Il est parti le matin... Il devait travailler.
Il était si beau.

Depuis, j'attends...

On devait se revoir. Il a présenté des excuses,
plusieurs fois, pour me dire qu'il ne pouvait pas, tout en
restant tendre dans ses messages...

Puis il a cessé de me répondre,
voilà six jours.

Au début, je sortais. Je voyais mes amies. Elles n'en revenaient pas qu'on ait couché ensemble. Elles avaient cet air de surprise et de cupidité sur leur visage, et j'étais fière. Je me sentais si amoureuse de lui et il me manquait tout entier. J'aurais pu le dévorer.

Puis la mélancolie m'a empêchée de me lever un matin. J'ai commencé à prendre peur... Peut-être que mes amies avaient raison...? Non.

J'attendais toujours.

Je ne sortais plus. C'est comme si toute l'atmosphère urbaine propre à mon quartier était le souffle de sa respiration à LUI.

Pourtant à l'appartement je n'étais pas seule. Mes jours et mes nuits se passaient dans nos souvenirs.

Nos souvenirs, ou mes fantasmes..?
Mais qu'importe, j'étais avec lui.

Je sens dans mon ventre tous les tourbillons de mon désir

gonfler par paquets de sang et d'oxygène.

Nouhad... l'absence de ton corps agresse le mien. C'est comme si pendant notre dernière étreinte tu étais parti avec ma peau. Et maintenant toute ma chair est à nu des agressions de l'extérieur.

Il fut un temps où je les invoquais. Enfant.
Bien avant d'arriver à Montréal.

Quand il y avait encore l'horizon et les inuksuit autour de moi.

J'ai l'impression d'avoir dormi d'un sommeil aussi profond que les ténèbres pendant plusieurs jours... J'avais un vague souvenir des esprits... d'un troc.

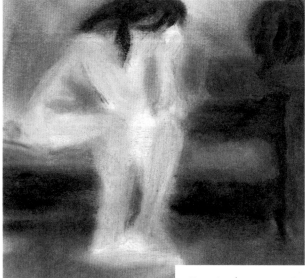

Ils voulaient m'aider si je leur donnais quelque chose en échange. J'avais trop dormi... Ma vue était floue. Les couleurs semblaient ternes.

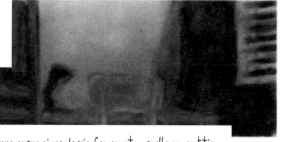

Évidemment Nouhad ne donna aucun signe de vie. Ces esprits... quelle superstition.

Jour après jour je restais prostrée dans un demi-sommeil, toujours en amour, ressassant.

Nouhad, je suis éprise de tout ce que tu es, de ce que moi je ne suis pas et aspire à être. Je suis amoureuse d'une idée de toi et d'une idée de moi.

Quand nous étions-nous vus ? Le mois dernier…? Que s'était-il vraiment passé et qu'avais-je imaginé depuis ? Je revis constamment le fantasme de nos possibles retrouvailles.

Parfois face au trop plein d'émotivité, mon corps à jeun crée des autodéfenses et je tombe évanouie. Je me réveille chaque fois un peu plus myope. Je ne vois déjà plus les couleurs.

Arrive un matin où,
après tant de semaines
enfermée dans mes pensées,
derrière le noir
de mes paupières,
je ne vois plus rien du tout.

Je suis aveugle.

Ce jour-là la faim
me pousse dehors.

Dehors je connais le quartier par coeur
et je marche comme si je voyais.
J'entends les gens mais je n'arrive plus
à communiquer avec eux.

Quelqu'un me dit « Bon matin »,
je crois reconnaître la voix
d'un voisin.

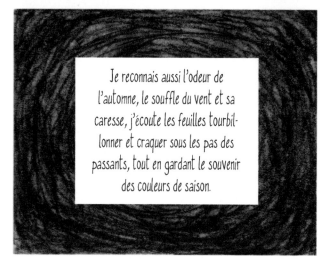

Je reconnais aussi l'odeur de
l'automne, le souffle du vent et sa
caresse, j'écoute les feuilles tourbil-
lonner et craquer sous les pas des
passants, tout en gardant le souvenir
des couleurs de saison.

Je souris malgré moi, même si
je ne vois rien.

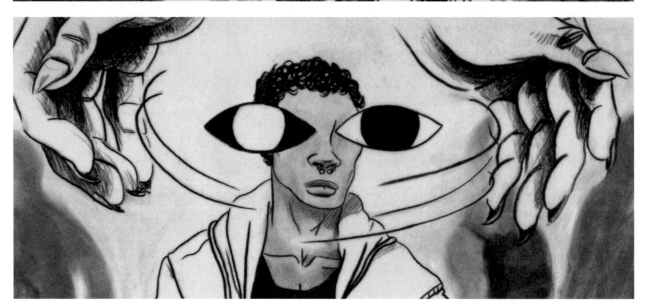

CHÉRINE ?!

Woh, calice... Comment j'ai
pu oublier qu'elle était
si sublime ?

Shit, pourquoi je l'ai jamais rappelée...?
POURQUOI ?

Quand je pense
qu'on a couché
ensemble...

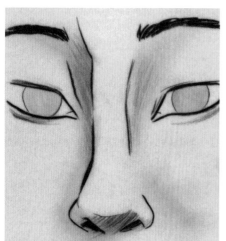

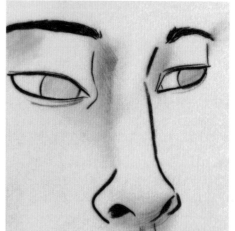

Elle... Elle ne me reconnait pas ou bien elle m'ignore ?

Mademoiselle ?

Voici votre soda, mademoiselle.

Votre plat arrive, veuillez nous excuser pour l'attente.

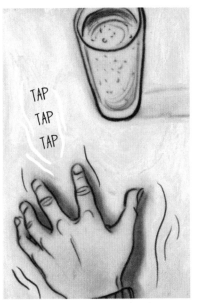

TAP
TAP
TAP

TAC !

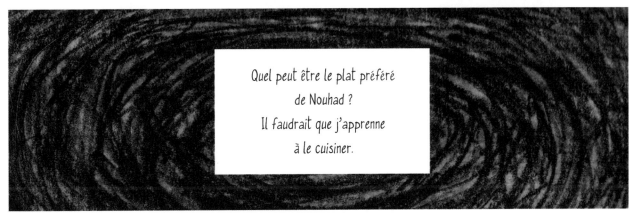

Quel peut être le plat préféré de Nouhad ?
Il faudrait que j'apprenne à le cuisiner.

7.

Polyamour, polyamitié

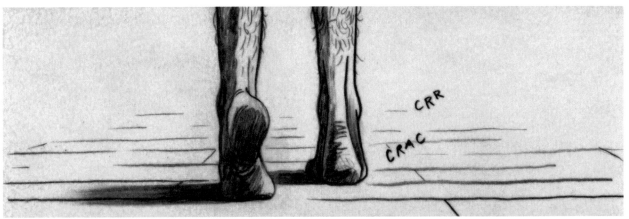

Pas trop dur
le jetlag?
Fais comme chez
toi! À tantôt!

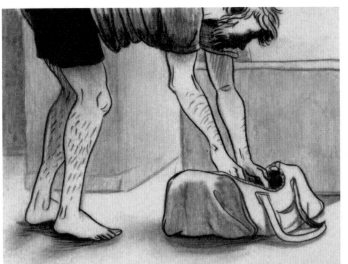

J'ai pris un avion sur un coup de tête en demandant s'il y avait un canapé où dormir et leur sms disait juste :

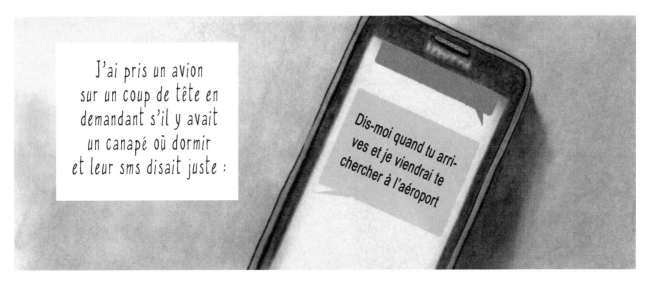

Dis-moi quand tu arrives et je viendrai te chercher à l'aéroport

Quand l'avion a décollé, j'ai repensé à la soirée où, le printemps dernier, j'avais rencontré Jo'.

Et... tu as quelqu'un ?

Personne en particulier.

Hé man, bien dormi ?

On a fini la job là, alors on va aller chiller* au parc Laurier avec des bières. Prends de quoi noter, je vais t'expliquer comment nous rejoindre.

*se relaxer

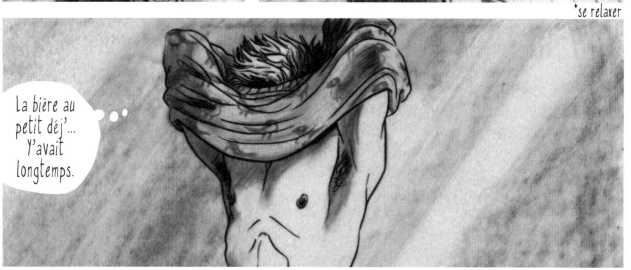

La bière au petit déj'... Y'avait longtemps.

Quand je vais leur expliquer que j'ai laissé mon cœur en miettes de l'autre côté de l'océan pour une polyamoureuse, ils vont bien se foutre de ma gueule.

VRRR

Ok, super, je suis bien content de vous faire marrer... Si c'est tellement populaire, j'imagine que vous ne voyez pas pourquoi le fait qu'elle soit polyamoureuse me pose un problème ?

Ho, hé ! Personne n'a dit ça ! Le polyamour c'est comme la monogamie : ça ne convient pas à tout le monde.

Y'a pas une seule boîte magique dans laquelle tout le monde peut piocher son bonheur.

Tu parles d'elle comme si vous étiez toujours ensemble. C'est quoi la dernière conversation que vous avez eue ?

J'ai besoin qu'on prenne un break, de réfléchir.

Les breaks ça ne fonctionne pas, ça n'existe pas. Prends plutôt des vacances.

On parlera quand tu reviens.

Mouais, ok. Bon, ça fait que...? T'as peur de quoi ? Tu capotes* pour quoi ? Parce qu'elle a le cran de te dire qu'elle a des sentiments et du désir pour plusieurs personnes, toi y compris ? Qu'elle veut pas culpabiliser pour ça et trouver un moyen de bien le vivre ?

Il veut juste pas penser qu'elle suce la bite de quelqu'un d'autre !

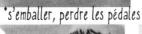

*s'emballer, perdre les pédales

MAIS BORDEL, TA GUEULE !

AH AH AH !

Salut !

Vous auriez un tire-bouchon ?

Ah non, 'scuse.

Salut ! Vous auriez un tire-bou...

Tu t'imagines rentrer et lui dire «J't'aime mais je veux pas te partager alors je préfère te quitter. Restons bons amis.» hum ?

Non, je peux pas être son ami...

Et puis je n'ai aucune ex avec qui je sois resté ami.

Beuh ?! Et pourquoi ça, tombeur ?

T'es ami avec tes ex, toi ? Vous allez au restau le week-end ? C'est juste chelou, non ?

Ah ben il est beau le sentiment amoureux, dude !

?

Comment peux-tu évacuer de la sorte une personne que tu prétends avoir AIMÉE ?

92

Mais tomber amoureux c'est un contexte ! Ça dépend de plein de données différentes de l'amitié !

C'est pas blanc ou noir ! Y'a des gens qui sont d'abord amis et ensuite tombent amoureux l'un de l'autre par exemple.

J'y crois pas du tout, il y a forcément de l'ambiguïté dès le départ !

Non mais écoutez-le, l'expert avec sa boule de cristal achetée en kit chez Ikea ! Et l'idée que l'amûûûr est cette chose si sacrée et supérieure !

J'ai trouvé un tire-bouchon

Je ne sais pas qui a raison, mais une chose est sûre, t'es clairement pas prêt pour le polyamour, man.

8.

Sex-friends

J'aimerais ça, te faire l'amour dehors sous la canicule. Qu'on ait ça dans nos souvenirs.

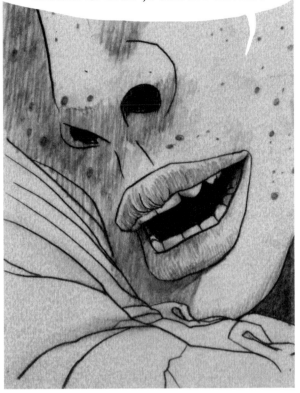

Tu sais bien qu'on ne peut pas prendre le risque d'être vus ensemble à l'extérieur. Et puis c'est excitant de se retrouver tous les jeudis après-midis à l'hôtel, non ?

Bof... Ça fait déjà quatre mois, t'sais...

Et...? Je trouvais qu'on était les meilleurs fuck buddies* du siècle. Tu veux arrêter ?

Non, au contraire... J'allais plutôt te demander : tu la préviens quand, ta femme ?

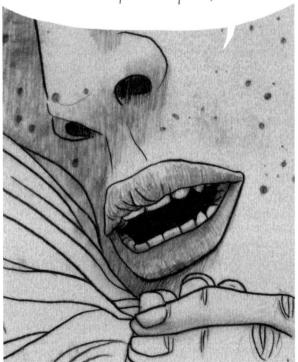

*sex-friends

99

Et toi, monsieur-donneur-de-leçons, tu n'avais pas un chum* ?

Pas vraiment. De qui tu parles ? Ça m'arrive de fréquenter des gens, mais rien de sérieux depuis que je t'ai rencontré.

*petit-ami

Mouais. Toi et moi, on fait partie des inconstants, des infidèles. C'est pour ça que ça colle entre nous.

Sauf que moi je suis honnête avec chacun de mes partenaires. Et je ne me cache pas derrière un mariage hétéro.

Arrête… Si ma femme l'apprend, elle détruit ma vie et ma carrière avec. Et elle n'hésitera pas à enrôler mon crétin de fils dans cette nouvelle mission divine. No way ! C'est un monde de requins habillés en Dolce & Gabbana. To eat or to be eaten, that's the question.

Des gens réussissent sans costume.

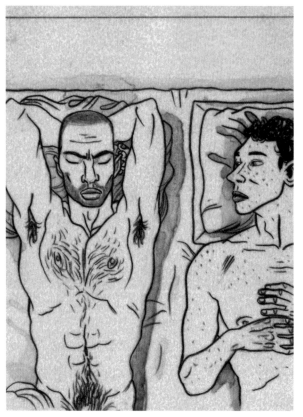

Stop. That's it, that's all. C'est ma vie, c'est comme ça.

Écoute… J'ai beaucoup de désir pour toi, vraiment… J'adore ce qu'on a ensemble, c'est éclatant et hot.

Mais on peut pas se projeter ensemble, c'est comme une formule chimique trop instable.

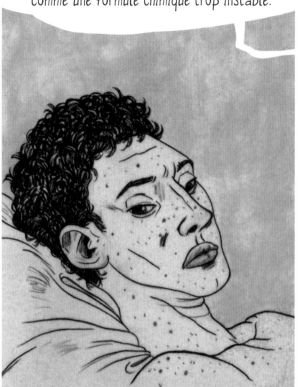

Et puis se projeter c'est du fantasme, pas du réel. Ce qui est réel c'est maintenant, c'est nos jeudis. Et on y tient tous les deux, non ?

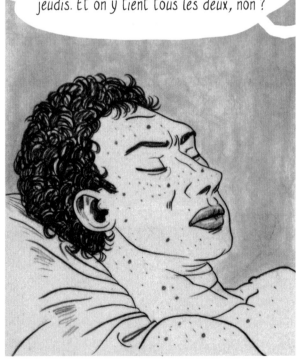

Oui.

Alors pourquoi tu fais la gueule ?

103

Je suis triste parce que... Je ne serai pas là s'il t'arrive quelque chose. Je ne serai pas au courant. J'ai peur de venir un jeudi et que tu n'arrives jamais.

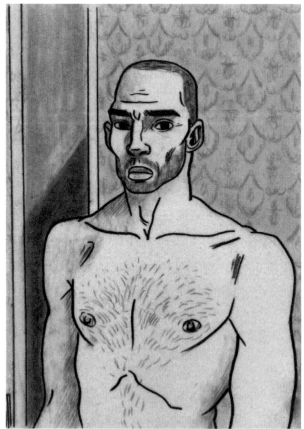

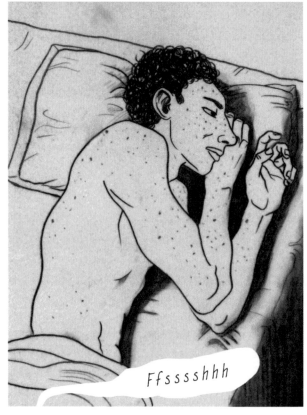

Ffsssshhh

BODOMBODOMBODOMDOMBODOMBODOMBODO

9.

L'aveu

BODOMBODOMBODOMBODOMBODOMBODOM

Pourquoi je tremble ?

D'ardeur ?
De peur ?
D'amour fou ?

Il faut que j'y aille et que j'avoue tout.

Mon sexe bat si fort que j'en ai des vagues de vertige jusqu'à la tête.

Je peux plus reculer...

Il faut que j'y aille.

Comment je vais le dire ? Comment déclarer une chose pareille...?

Hey c'était l'fun de se brancher autant mais maintenant je suis tombée en amour...

Alooors...?

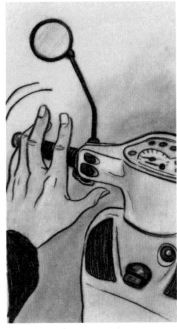

Je ne peux pas endurer un refus...

Si la réponse est non, je me jette dans le fleuve Saint Laurent.

Ou alors je vais provoquer un ours en Gaspésie*, tiens.

BO BO DOM DOM

BODOMBODOMBODOMBODOM

*péninsule située au centre-est du Québec, réputée pour ses parcs nationaux et réserves fauniques.

Il faut qu'on parle.

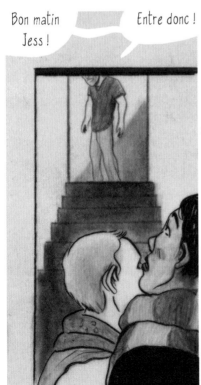

Bon matin Jess !

Entre donc !

Il faut qu'on parle.. Tous les trois.

CLAC

115

Je n'aurais jamais cru qu'une telle chose m'arriverait mais désormais je ne peux plus imaginer vivre autrement.

Écoutez...

Je crève de ne pas vous le dire...

Je veux être avec vous... qu'on vive cette folie tous les trois. Je suis tellement prête pour cette relation. Pour vous.

Je le sens à chaque fois que je vous regarde, toutes les molécules de l'air en sont chargée. Alors je ne veux pas d'une nuit de fun de temps en temps.

Je veux me réveiller avec vous le matin, qu'on fasse la cuisine ensemble, qu'on ait des projets, qu'on accumule les joies et qu'on reste soudé face aux obstacles.

Ça sonne si juste d'être avec vous, ça me rend si fière. Ce que je ressens c'est beau et lumineux, j'ai envie d'aller le crier sur les toits de la ville, tout le temps.

Ostie, mon amour avec vous c'est une insurrection contre la marde autour !

Vous...
Vous le vou-
liez aussi ?

Nous espérions que tu en parles la première !

Mon cœur va exploser.

10.

Après la dispute

Sentir sa vie se briser dans un cri. Une énième dispute, l'intonation de trop. Avoir les cordes vocales tirées comme des fils en matière émotive.

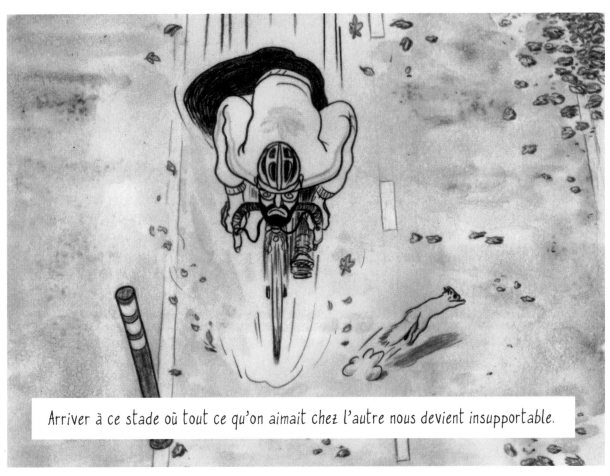

Arriver à ce stade où tout ce qu'on aimait chez l'autre nous devient insupportable.

Sa manière de s'exprimer. Ses tics.

Sa façon de construire ses coiffures. Sa voix... Sa voix qui crie ce qu'on ne veut pas entendre.

Et pourtant...

Est-ce qu'on peut s'engueuler à ce point avec quelqu'un qui nous indiffère ?

Est-ce qu'on peut

parvenir à blesser autant

quelqu'un qui ne nous aime pas profondément ?

L'évolution de son langage envers moi est à glacer le sang... Tout ce que je perçois me retourne. Tout ce qui est preuve d'une vie commune morcelée où ma place est hors du cercle, loin du centre.

Cette sensation physique... La terreur de voir la relation filer comme de l'eau entre ses doigts, qu'on ne parvienne pas à réparer les dégâts.

Faut-il en arriver là pour
se remémorer
l'importance de l'autre ?

Les fleuristes se font un paquet d'argent
sur nos remords agités.

11.

La jolie voisine

Tu veux-tu bien fermer la fenêtre, babe ? Les soirées sont fraites maintenant.

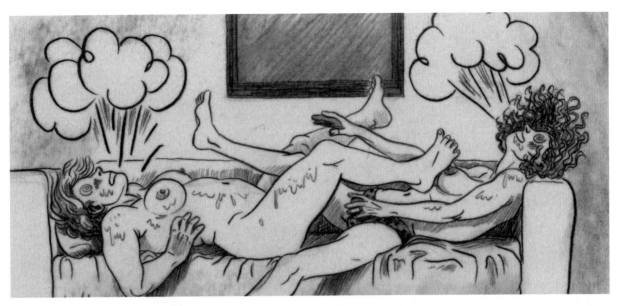

Ostie... Viens-là
mon bel étalon !
Embrasse-moi.

BÂILLE

Hé hé...
Hum. 'Smack' 'smack'
J't'aime t'sais.

Et voilà,
c'est parti pour
deux mois de
pluie et de
vent d'marde.

clic clic

Oh... La jolie voisi...

Hey saluuut ! Je suis Jean-Louis, le frère de Mêl', ta voisine.

Elle est partie une semaine pour une job à Vancouver et je garde son appart' et son chien.

Elle m'a dit que ses deux voisines étaient cutes. Enfin... vous, là. Vous êtes des lesbiennes, c'est ça ? Ben sursaute pas, t'sais c'est correct ! J'ai aucun problème avec ça, au contraire, haha ! J'admire, et p'is c'est super hot... le rêve !

Ça fait que... Si vous voulez qu' on passe du temps ensemble... Cette semaine moi je suis là pour rendre service, héhé !

Allez, bye !

clac

Mais quel gros CONNARD de douchebag !! Raaah vomir-vomir-vomir !

12.

Retour à l'aube

Et maintenant un fait divers qui vous coupera peut-être l'appétit... Un jeune homme est mort cette nuit, seul chez lui, en...

... s'étouffant avec des chips !

Selon l'enquête il semblait très perturbé émotionnelement alors que son compagnon n'était plus joignable sur son cellulaire.

Il faut dire que le compagnon en question était sorti souper avec SON EX ! Hé oui ! Et disparaître ainsi toute la nuit, c'est vraiment louche. N'importe lequel d'entre nous s'étoufferait avec avec des chips sous le coup d'une telle émotion !

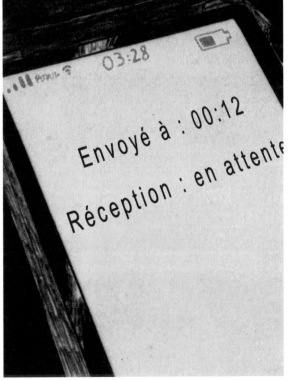

Envoyé à : 00:12

Réception : en attente

03:28

Mais notre correspondant à Montréal a justement rencontré ce traître compagnon.

... ce traître compagnon qui n'a pas désiré s'exprimer à visage découvert...

Je suis mortifié... Je ne me le pardonnerai jamais ! Laissez-moi aller mourir sous un camion maintenant !

...

Tout cela est navrant mais je ne suis pas responsable. Et je lui ai dit tellement de fois de bannir l'huile de palme de son alimentation. Cette fois est typique de ses tendances drama-queen...

« Dis donc c'est pas mal ce tissu... Tu penses que je devrais prendre un costume comme celui-là pour l'enterrement, hum ? »

POUIC POUIC !

Tu ris !
TU RIS ?!

C'est quasi le matin, tu as disparu toute la nuit alors que tu étais avec ELLE, et tu rentres en RIANT ?!

Et puant l'alcool !

Je m'excuse.

La batterie de mon téléphone est morte.

Danielle et moi avons beaucoup parlé, c'était important.

Parlé ?

Toute la nuit ?

Oui. Tu peux bien me faire confiance, non ?

Je suis parti il y a deux heures. J'ai marché mais j'avais trop bu... Je me suis perdu en chemin.

J'ai peur d'avoir attrapé la fièvre...

TAP TAP

Alors, qu'est-ce qui était si important pour que vous parliez autant.

Attends ! Pourquoi penses-tu que j'ai autant bu ? Tu crois que ça a été facile de lui dire la vérité ?

🎧 Elle n'avait pas digéré certaines choses de notre rupture. Et notre relation lui manque, elle voulait savoir où j'en étais dans ma vie...

Comment ça ?

Je lui ai dit que j'étais très amoureux de toi, que je ne m'étais jamais senti aussi moi-même et vivant. Et que je ne retournerai plus vers les femmes, que je suis gay.

JURE ! JURE-LE !

CLAC

CLAC

Alors tu lui as dit que tu m'aimes ?

Oui.

Tu m'aimes comment ?

Comme je respire.

C'est à dire ?

Naturellement, évidemment.

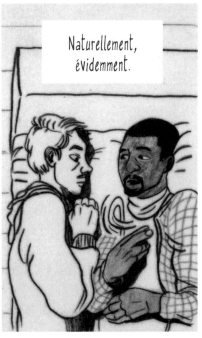

🎵 J'i'irais mourir sous un camion s'il t'arrivait quelque chose.

Parlons d'abord de ce qu'il y a à vivre ensemble, d'accord ? Tu es encore plus drama-queen que moi.

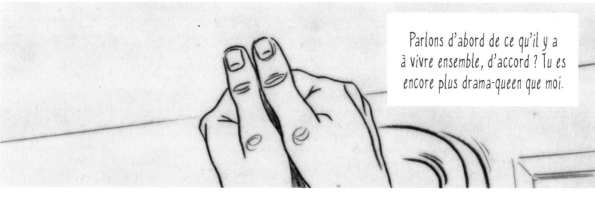

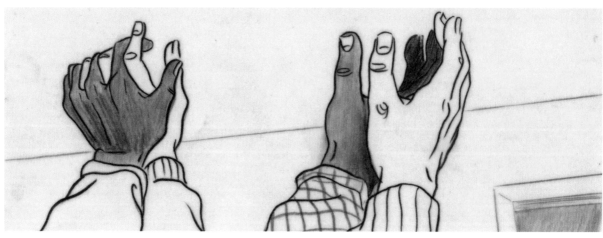

13.

Le break, l'attente

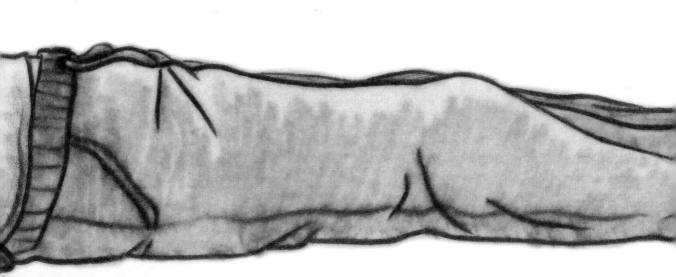

C'est peut-être **elle**.

On avait dit qu'on ne s'écrirait pas pendant une semaine, qu'on ne se parlerait pas... Mais c'est peut-être elle quand même...

... pour...

... me dire qu'elle a assez réfléchi, qu'elle sait que c'est vraiment fini et que je dois venir récupérer mes affaires.

Ou pour me dire... «Ça fait seulement deux jours babe mais tu me manques trop, fuck toute, rentre à la maison !»

FFF

Ou bien... Peut-être c'est ce qu'elle attend de moi ? Peut-être qu'elle espère juste ce sursaut, l'ultime déclaration ?

Fuck... J'ai tellement peur que tout ce que je tente ne me la ramène jamais... Ça me mutile le ventre.

Et si j'y vais... Comment vais-je m'annoncer maintenant qu'on fait ce break ? «C'est moi» ? Cette affirmation de la place qu'on a dans la vie de l'autre... «C'est moi» et ça ne peut être personne d'autre qui sonne à ta porte, personne d'autre que tu attends, personne d'autre que tu pourrais confondre dans cette formulation.
«C'est moi» qui sonne car c'est l'autre partie de toi, de ta vie, qui est sur le palier... Plus j'y réfléchis et plus je sens la lourdeur du sens de ces deux petits mots, et qu'ils pourraient jouer contre moi. Quelle attitude pourrait plus l'apaiser, elle ? Affirmer ce que je suis dans sa vie ou ne pas le formuler car elle reste dans le flou ?

177

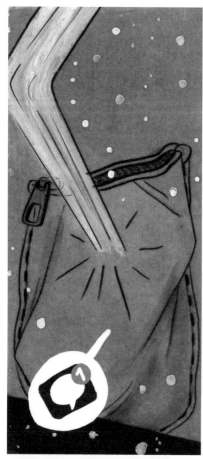

Ce message-là pourra bien attendre.

14.

Maladie incendie

Pendant longtemps les engueu-lades ont amené des ouvertu-res positives. T'sais, quand tu te sautes dessus p'is que tu fais l'amour passionnément...

Mais maintenant je crois que les disputes nous épuisent, surtout que physiquement ch'suis p'u capable, t'sais ben.

Ça fait que... peut-être qu'on reproduit ce schéma en espérant une ultime réconciliation.

C'est pas de la névrose, ça ? Répéter toujours la même chose et s'attendre à un résultat différent ?

Hé ho Freud ! Je t'ai rien demandé !

Bé c'toi qui m'téléphone quand même là, honey !

Ben ouais ch'suis au courant. La moitié de nos disputes concerne ses aventures.

Elle s'en cache à peine. Et si je dis quelque chose... elle... elle a toute cette rage, toute cette bile...

Mais c'est sa colère contre la maladie, contre la vie... et aussi peut-être contre la vie qu'elle a choisie.

Sûrement qu'elle n'aurait pas choisi cette vie-là, ni d'être mère, si elle avait su qu'elle allait tomber malade comme ça t'sais.

Et aussi, tu sais... tous les couples s'appellent par des p'tits noms cute «babe, chérie» etc.

Ben elle m'appelle plus que par mon prénom et ça m'choque à chaque fois.

Attends...

'tends...

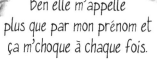

Bé là là, ça va faire ?! Du calme ou on rentre.

Anyway...

Elle est en chantier complet... Un bouleversement de la cave au grenier, des lianes aux racines. J'comprends.

Time will come to choose between what is right and what is easy...

'fff...
Je le paye tous les jours en ouvrant les yeux.

Ah, tu es réveillée ! Tu veux-tu ton café maintenant ?

Non, j'ai encore la nausée des médicaments.

Aide-moi à me lever. Si j'avais la force de bouger, je me jetterais sur tout ce que je peux briser.

Tu sais bien que tu peux me briser sans même me toucher.

Un bain ?

Un bain.

So, you know... Tout est parfait dans votre couple, sauf cette tooouuuut petit détail : la monogamie..

Combien d'entre nous se sont retrouvés dans cette situation : être toujours amoureux de son partenaire mais se sentir quand même attiré par quelqu'un d'autre, hm ?

Parce que les relations humaines ne sont jamais figées. Elles sont toujours en mouvement, en développement.

Et nous attendons certaines choses de nos relations, nous attendons qu'elles soient d'une certaine manière ou qu'elles nous emmènent à un certain endroit, peu importe que ce soit un mariage ou une aventure.

Acceptons le fait que... nous attendons de l'amour qu'il guérisse les frustrations et les traumas que nous vivons dans notre vie...

Je sais. Ne t'inquiète pas, tout va bien se passer.

15.

La révélation sous la glace

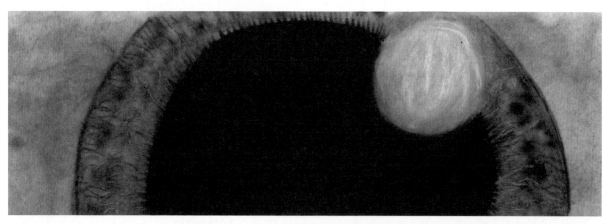

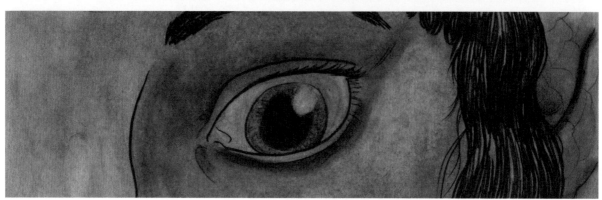

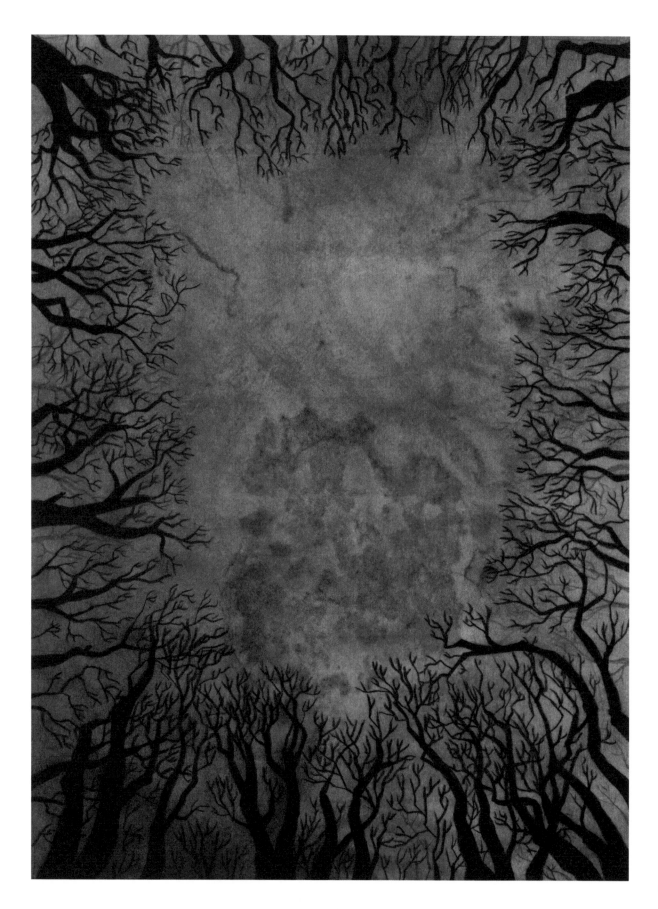

16.

Dans la moiteur du club, Sainte-Catherine Est

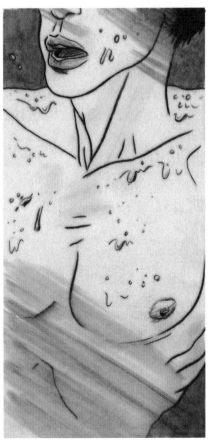

Hey salut !

Tu vas bien ?

Tu cherches quoi ici ?

ここで何を探しているの？
と聞いてる…

*Il veut savoir ce que tu cherches ici.

225

一杯
おごって
くれない?

*Tu m'offres un verre ?

. . .

Hey !

Please ?

Une bière please.

気にしないで
今はあなたの全てが
欲しい…それだけ

どう？

*Peu importe. Je te veux trop, là. Pas toi ?

うん…
五年前
みたいに…

*Autant qu'il y a cinq ans.

CLIC !

17.

Comme un fantôme sur la rétine

Y'a comme un cadenas tout obtus tout glacé en moi.
Pourtant aujourd'hui mes soucis sont aussi riquiquis que des crottes de fourmi ; j'ai aucune raison valable de faire la gueule, ou de ruminer. Mais je perds les vues d'ensemble parce que ELLE, elle me manque.

T'sais, moi c'est la première fois que je tombe en amour, p'is personne m'a dit que ça serait difficile comme ça.

Déjà, j'ai l'impression de vivre avec son image en permanence devant les yeux. J'la vois partout, j'la vois dans ma soupe...

Fuck toute... Les réseaux sociaux, man... Comment tu veux que je ne pense pas à elle ? J'vais voir si elle a liké des choses ou commenté, changé sa photo de profil, j'vais la stalker sur twitter... C'est un fil invisible dans la tête, qui te tire sans arrêt, là.

Essayer de remplir mes journées avec du fun ou du travail ça n'a pas de goût, pas de paix et trop peu de sens. J'ai l'impression de développer des mécaniques de survie, pour pas avoir mal !

J'ai la bouche pleine de mots que je n'ai pas le droit de lui dire.

Sais-tu la violence sur mon corps de dormir sans toi ?

Je peux seulement inspirer et expireeeer...

Non non,
tu as dû te tromper
à un croisement...

S'il n'y a pas
de travaux, c'est que tu
n'es pas sur la bonne
route.

18.

De l'importance du rire

La seule chose vraiment naturelle que j'ai mangée au Canada, c'est le sirop d'érable !

Han, grave !

Aaah vivement qu'on rentre ! Et le fromage ça me manque TROP.

HA HA HA HA

Ah les colons d'marde ! Bon, où c'est que j'ai garé mon char* encore ?

*voiture

On se prend des bagels et je t'emmène chez toi ?

ST VIATEUR BAGEL SHOP

Allo ? Oui oui c'est bien moi... Oui.

Je... COMMENT ?

Oh boy, qu'est-ce qui s'passe ?

Maman...

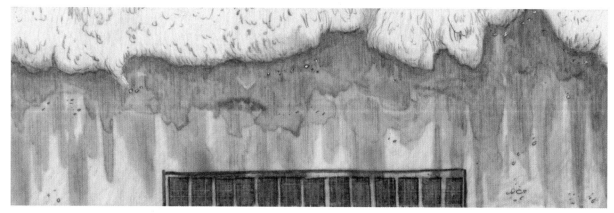

DRING ! *clic clac*

Bon matin, c'est moi !

Allo...

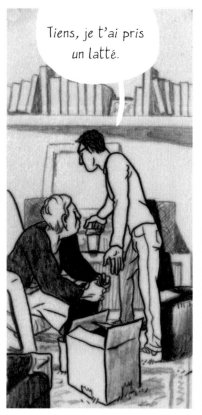

Tiens, je t'ai pris un latté.

Alors, tu as commencé à penser au speech des funérailles ?

Voyons don', c'est quoi tout ça ?

Tu sais, ton père adorait collectionner les cassettes audio. Il créait des playlists pour la moindre occasion, enregistrait des morceaux entendus à la radio...

Ah oui, c'est vrai...

La dernière qu'il m'a offerte était pour mon diplôme. Mais après ça, l'arrivée du cd... et puis surtout la dispute qu'on a eue en 2001 et qu'on cesse de se voir... Hum, j'avais oublié sa manie des cassettes...

Et quoi, ce sont toutes les siennes ?

Oui, figure-toi que j'ai droit à une ligne dans son testament, et c'est pour les cassettes.

258

Ah !
T'es fin,
tiens !

Ton père a toujours été en colère, contre plein de choses, plein de gens...

Contre moi aussi.

Et contre moi lorsque je suis partie MAIS quand nous étions ensemble et amoureux, nous étions d'une harmonie inégalable.

Ouin ouin...

Et je suis bien contente d'avoir ces cassettes-là...

C'est la bande originale de notre vie ensemble. D'une grosse partie de ma vie, certainement la meilleure.

Pourquoi la meilleure ?

Parce que...
On n'était pas juste
heureux et confiants,
on...

On riait
tellement.

On riait
pour un oui
ou pour un
non.

Parfois il se passait une chose,
et on se regardait... On voyait
bien sur le visage de l'autre
qu'il avait envie de rire et on
éclatait de rire sans même se
parler.

On avait
compris que l'autre avait
vu la même chose, et on éclatait
de rire comme ça...

Nous n'étions pas seulement
amoureux, nous étions
d'excellents amis, on a passé
vingt ans à bien
s'amuser.

Oh boy, je riais tellement que
j'en avais des abdos d'athlète !

Hahahahaha !

Come on !
J'étais déjà né, et certes vous
rigoliez beaucoup mais tu n'avais
rien d'une Anna Kournikova !

Ne sous-estime pas le pouvoir du rire dans le couple.

Tiens, tu l'écriras sur ton profil OkCupid...!

Roh pffff

Il mettait toujours les dates, non ? C'est quoi sa dernière ?

Sûrement celle-ci... C'est celle qui était dans le lecteur de la voiture, quand...

Ils... Ils ont réussi à récupérer la cassette ?!

J'ai vu la voiture après l'accident, elle était en pièces.

Ton père aussi... On est si peu de choses. On passe des siècles à fabriquer des pyramides, des fusées, des Joconde, de l'électricité...

Mais tous nous finissons brisés, alors qu'un petit objet aussi improbable nous survit...

Tu vois, la bande a cessé de tourner au moment de l'impact, au milieu d'une chanson certainement...

Hey... Ssshhhh...

C'est une des chansons qu'il préférait à l'époque. Il me la murmurait souvent pour me réveiller.

19.

Au Mont-Royal : nos vies mêlées

Ca fait longtemps
que tu n'as pas vu
Mégane, hin poussin.
Tu es content ?

PSSHT !

Et voilà !

Je t'ai manqué ?

Évidemment ! Mais plus tard quand on sera marié, on sera ensemble tous les jours !

Oui ! Quand j'ai dit à mes copines que j'avais déjà un mari, elles étaient toutes jalouses !

Dis... Je ne sais pas si j'ai envie d'être un garçon...

On me demande d'être bête parce que je suis un garçon, de me battre, de pas pleurer p'is toute...

Tu serais-tu avec moi quand même, si j'étais une fille ?

scritch   scritch

On pourrait faire tout leshopping ensemble...? Faire les essayages dans la même cabine du magasin...

Ça serait super de faire des chorégraphies de musique ensemble... Les garçons n'aiment pas trop ça généralement.

Et p'is s'échanger les chaussures à la maison...

Est-ce qu'on pourrait se passer le bébé pour y donner le sein chacune ?!

Ben ça serait d'même, ou peut-être mieux !

Mais si tu n'aimes pas te battre, ça ne veut pas dire que tu n'es pas un garçon.

Mmh...

273

Woh ! Un couteau suisse !

Je l'ai pris en secret à la maison, attends, regarde...

On va se faire une promesse.

La promesse de toujours être ensemble.

20.

L'intimité avec un grand i

21.

L'après
(épilogue)

Attendez-mooiii !

Demain c'est
le 1er juillet,
et je
déménage.

Ouais ouais, allez t'as gagné, on sort.

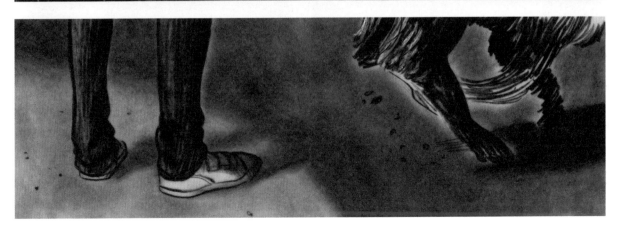

Tiens... Tu as récupéré ta voiture chez tes parents ? Tu disais que tu ne la voulais plus...

T'as ramené quelqu'un chez toi ? Pourquoi ta lumière est-elle allumée si tard ?

Viens ici ! Allez.

Voilà trois semaines que tu as rompu avec moi et je continue de passer sous ta fenêtre la nuit.

Je réfléchis à toutes les hypothèses pour lesquelles, ce soir, ta vie est différente des routines que je connais... Mais y penser me rend malade.

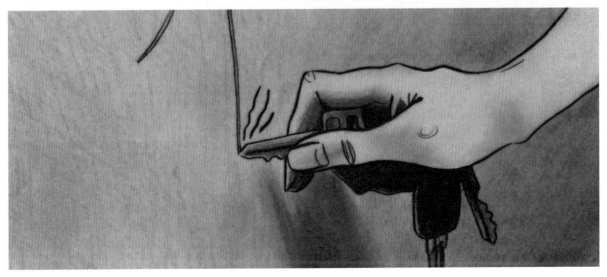

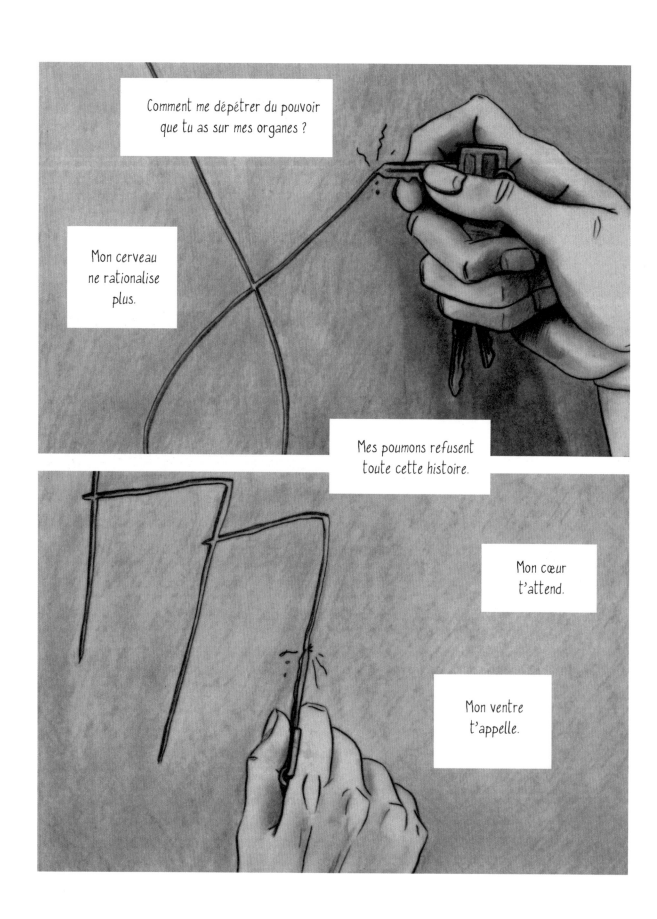

Mon sang...

... est une forêt aux racines palpitantes.

Je pressens ce soir l'irrévocabilité de ton absence et envisage de me trouver un nouveau costume de chair.

Pour leur relecture, leurs bons conseils, leur abri offert, merci à :
Baptiste Amsallem, Jimmy Beaulieu, David Benito, CÄäT, Cehseel & Alex,
Lorenzo Chiavini & sa famille ainsi qu'Irma, Virginie Despentes,
Viva Dirm & Miriam Ginestier, Elric Dufau, Alexandre Fontaine Rousseau & Cathon,
Marianne Gauthier, Benoît Guillaume, Les Jouvray-Ollagnier, Mathilde Laurier,
Lisa Mandel, Chloé Mazlo, Maya Mihindou, Les Piccinini-Varrà, Johanna Schipper,
Susanna Scrivo, Carole Stromboni, Nolwenn Trillot, Claire Valageas.

Merci aux collègues Glénat, toujours bienveillants et à l'écoute.

Big up aux amis montréalais, au 7070, aux 5 à 7 au parc Laurier.

Pour toutes les heures du jour et de la nuit passées à parler d'amour,
special big up aux proches qui se reconnaîtront.

Pour tous les vents qui l'ont amenée vers moi et pour tout son soutien,
ma dernière pensée va à Susanna.

De la même autrice

Éditions Glénat :

Le bleu est une couleur chaude

Skandalon

Éditions La Boîte à bulles :

City & Gender

Éditions Bdmusic :

Brahms

Pour suivre ses actualités :

www.juliemaroh.com

Crédits :

Extrait de l'oeuvre, pages 6 à 9

« CHAQUE FOIS »

Paroles et Musique de Barbara

© Warner Chappell Music France – 1965

www.glenatbd.com

© 2017, Éditions Glénat,

Couvent Sainte-Cécile, 37 rue Servan 38008 Grenoble.

Tous droits réservés pour tous pays.

Dépôt légal : janvier 2017

ISBN : 978-2-344-01263-5/ 001

Achevé d'imprimer en Espagne en décembre 2016 par Indice S.L.,

sur papier provenant de forêts gérées de manière durable.

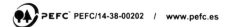

PEFC PEFC/14-38-00202 / www.pefc.es